Textes des jeux : Cécile Jugla
Édition : Amélie Pont
Mise en pages : Valérie Boyat et Nicolas Folliot

Loi n°49-956 du 16 juillet 1949 sur les publications destinées à la jeunesse,
modifiée par la loi n°2011-525 du 17 mai 2011.
© Nathan, France, 2008, pour la première édition.
© 2015 Éditions NATHAN, SEJER, 92 Avenue de France, 75013 Paris
pour la présente édition.
Dépôt légal : juin 2015
ISBN : 978-2-09-255871-3
N° éditeur : 10268625

Imprimé en octobre 2020 par Graficas Estella
(Estella, Navarre, Espagne)

Dans la peau d'un Viking

LE DRAGON DES MERS

Textes de **Madeleine Deny**
Illustrations de **Jazzi**

Toi, le héros

Tu t'appelles Björn et tu as 16 ans. Tu es né non loin d'Hedeby, au sud du Danemark, le 8 mars 855. Tu es donc un Viking, mais pas n'importe lequel : le fils d'un chef, excellent marin et féroce guerrier !

Pour la première fois de ta courte existence, tu vas accompagner ton père dans ses expéditions. Montre-toi digne de cet honneur en faisant preuve de force et de courage !

Au cours de ce roman, plusieurs choix vont s'offrir à toi ! À chaque fois, pèse bien le pour et le contre.

 En mer, prends garde aux tempêtes.

 Méfie-toi d'un certain Olaf…

 … et surtout d'Erik, ton propre frère, qui pourrait bien te mettre des bâtons dans les roues !

Tu ne seras pas seul dans l'aventure ! N'hésite pas à t'appuyer sur certaines personnes bienveillantes :

 Ton père Knut, un grand chef viking.

 Le marin Sigufrid.

 Le jarl Rorik, un chef militaire.

Ton histoire
dans la grande Histoire

Tu appartiens au peuple viking, un peuple guerrier et marchand, qui mène des attaques dans toute l'Europe entre le 8e et le 10e siècles. Vous êtes 2 millions de Vikings qui vivez au Danemark, en Suède et en Norvège.

Quel que soit votre pays d'origine, vous partagez tous la même langue, la même religion, les mêmes coutumes. Ta société regroupe à la fois des hommes libres, comme toi, et des esclaves, capturés lors d'expéditions. Avec ta famille, tes esclaves et tes parents lointains, vous vivez sous le même toit et vous formez un clan.

Tes exploits te feront gagner des points (pour t'aider à les compter, coche une seule fois les cases correspondantes en 47). Améliore ton score grâce aux quiz, discerne le vrai du faux en jouant en 44 ... et découvre en 48 quel Viking tu es devenu après toutes ces incroyables aventures !

Et maintenant, à toi de jouer !

1 Il fait encore jour. En ce début du mois de juin, les derniers rayons du soleil s'attardent sur le toit de la grande maison basse où toute la famille s'est réunie pour le repas. Après une longue journée passée à préparer ses navires pour la mer, ton père, Knut, l'un des chefs de la région, finit de déguster son ragoût de poisson séché et de céréales. Il essuie ensuite ses doigts graisseux avec du foin puis tend son bras vers toi. D'un geste sec, il tire sur les poils de ta barbe blonde.

— Björn, te dit-il, le duvet de tes joues est enfin devenu barbe ! Il est donc temps pour toi de m'accompagner au-delà des mers. Prépare tes affaires, affûte tes armes : bientôt, nous partirons ensemble porter la terreur sur les côtes des pays francs.

Tu n'en crois pas tes oreilles ! Après avoir remercié ton père de t'avoir choisi plutôt que ton frère aîné, tu sors prendre l'air. Un vent glacé siffle au-dessus de ta tête.

Ta vie aventureuse de Viking commence ! Cours vite en 2 *.*

2 La nouvelle de ton départ met Erik, ton frère aîné, hors de lui. Depuis plus de cinq ans, il est habitué à suivre ton père dans ses voyages...

— Ne te réjouis pas trop vite, te lance-t-il lorsque tu rentres te coucher. Car demain, lors de la fête donnée avant le départ de l'expédition, je te défierai au combat et je t'écraserai comme une vermine ! Le père n'aura pas d'autre choix que de m'emmener avec lui pendant que tu panseras tes blessures. Connaissant la force d'Erik, tu n'en mènes pas large et tu passes la nuit à chercher une solution pour éviter l'affrontement.

*Si tu décides de t'entraîner avant de te rendre à la fête,
va en* **28** *.*

*Si tu préfères aller faire affûter ton épée chez le forgeron,
va en* **25** *.*

3

— Quelle allure, mon frère ! t'écries-tu en fixant ses pieds couverts de boue. Tu es bien le seul Viking à ne pas soigner ton apparence… C'est « Erik aux pieds sales » qu'il faudrait t'appeler, plutôt qu'« Erik le Vaillant » !

Tu t'empares alors du seau d'eau destiné à vous rafraîchir durant le combat et le jettes sur ses **braies**. Furieux, il arrache une hache des mains d'un villageois et la lance dans ta direction. Tu l'attrapes en plein vol et la lui renvoies. Hélas, l'arme se plante dans son crâne et il s'effondre, mortellement blessé.

— Qu'as-tu fait là ? hurle ton père en découvrant son fils mort. Tu as assassiné ton propre frère ! Sois maudit !

Un bon conseil : quitte vite les lieux !

Va en 29 tenter ta chance au port d'Hedeby.

Quiz !

réponse en 45

3. Les **braies**, ce sont :

A. des grosses chaussures en peau d'âne.

B. un pantalon large attaché à la taille par une cordelette.

C. des gros bras poilus et bronzés.

4

Ta vigueur séduit Sigufrid, le capitaine, qui organise une expédition vers la Russie. Il accepte de te prendre à son bord. Tu es immédiatement chargé de la tâche la plus rébarbative : écoper l'eau, pendant que les autres marins, assis sur leur coffre, rament pour gagner le large. La mer est grise et les vagues bouillonnent d'écume. La « route de la baleine », que le capitaine emprunte, est dangereuse. Au septième jour, après une terrible tempête de neige, vous êtes heureux de voir les côtes de la Finlande se profiler à l'horizon.

— Nous allons bientôt faire notre première escale, annonce le capitaine, préparez-vous à aborder.

Si tu acceptes d'aider le rameur chargé de lancer les amarres, va en 14 .

Si tu préfères continuer à écoper, va en 31 .

C'est bon à savoir !

Les **sagas** racontent les actions héroïques d'un grand personnage. Elles sont truffées d'expressions poétiques. Un bateau est ainsi un « coursier du vent ».

5 Vous décidez de faire plus ample connaissance autour d'un pot de bière. Les marchands t'emmènent dans une taverne, non loin de là.

— Donne un bon repas à notre ami du Nord, dit l'un d'eux.

Tes compagnons et toi prenez place autour d'une table sur laquelle l'aubergiste dépose une montagne de victuailles. Tout en piquant un morceau de viande avec la pointe de ton couteau, tu écoutes leur proposition.

— Nous partons pour Constantinople et craignons les attaques des bandits de la région : ils guettent nos bateaux et les pillent ou nous rançonnent. Les guerriers vikings comme toi sont rusés ! Aide-nous à éviter leurs attaques et tu seras grassement payé.

Embarrassé, tu tires sur ta barbe blonde et avales ta bière avant de répondre.

Si tu acceptes de les protéger durant le voyage, va en **23** *.*

Si tu préfères rester à bord du navire viking qui t'a conduit ici, va en **12** *.*

6 Tu feras bien des fois l'aller et le retour sur les grands fleuves russes, de la mer Baltique à la mer Noire, pour veiller sur les navires marchands. Et grâce à toi, les cargaisons de fourrure, d'ivoire de morse, de tissus, de bijoux arriveront toujours à bon port. Mais tu rêves de plus en plus souvent de reprendre la mer pour découvrir de nouveaux pays. L'occasion se présente le jour où tu retrouves Sigufrid dans une taverne, lors d'un voyage au lac Lagoda pour y prendre une cargaison de miel.

— Allez, l'ami, cesse de faire le larbin pour ces marchands et pars à l'aventure avec moi vers l'ouest, te propose-t-il en t'envoyant une grande claque dans le dos.

Allez, cap à l'ouest, en **12** !

C'est bon à savoir !
Guillaume le Conquérant, duc de Normandie, est le descendant du Viking Rollon qui a fondé la Normandie. En 1066, il envahit l'Angleterre et devient roi de ce pays.

7 Au monastère, tu retrouves Rorik. Le jarl a donné l'ordre de défoncer la porte à coups de hache.

— Tonnerre de Thor, Björn ! s'exclame-t-il en te voyant arriver. Toi aussi, tu viens chercher l'or et l'argent qui dorment dans les bâtisses des chrétiens ? Viens donc avec moi prendre part à ton premier pillage !

Quelques coups de hache suffisent pour faire voler en éclats la porte du monastère. Les religieux fuient dans tous les sens. Ceux qui tentent de résister sont tués. Les autres sont déshabillés et chassés nus du lieu saint. Puis, la **razzia** commence.

— Emportez tout ce qui est précieux : vases, calices d'argent, tissus brodés ! ordonne Rorik. Rien ne doit rester ! Remplissez aussi cette charrette de victuailles pour que nous fassions un festin ce soir. Et ensuite, détruisez et brûlez tout !

Si tu te charges de remplir la charrette, va en 13.

Si tu préfères combattre quelques soldats accourus sur les lieux, va en 19.

Quiz !

réponse en 45

7. La **razzia**, c'est :
A. un grand festin de pizzas.
B. une attaque rapide en terre étrangère pour piller et amasser un butin.
C. une douche froide que les moines prennent pour se purifier.

8 C'est avec eux que tu t'empares de Kiev deux ans plus tard. Ta bravoure au combat est récompensée par un joli petit magot. Tu l'utilises pour faire construire des entrepôts. Tu te lances dans le négoce et fais des affaires avec tous les marchands qui naviguent de la Scandinavie au Proche-Orient. Tous t'appellent Björn le Rusé, car tu as la réputation d'être un commerçant particulièrement doué. Mais ta réussite fait des envieux…

Un jour, alors qu'un marchand murmure dans ton dos, tu te retournes en hurlant :

— Ne me traite pas de voleur !

Une dispute éclate entre vous à laquelle seule une **holmanga** peut mettre un terme. Tu en sors vainqueur ; ton honneur est sauf ! Plus personne n'osera salir ta réputation et tu vivras désormais dans l'opulence.

Bravo! te voilà devenu un riche marchand, admiré de tous!
Ajoute 20 points à ton pécule en cochant la case rose en **47** *,*
et relance-toi dans l'aventure!

réponse en **45**

8. Une **holmanga**, c'est :

A. une chanson très aiguë qui se chante à tue-tête.

B. un duel entre deux personnes en conflit.

C. un concours de bande dessinée japonaise.

9

Lorsque vous envahissez le bourg voisin, c'est la panique : les gens s'enfuient de leurs maisons et de leurs boutiques, vous laissant faire main basse sur tout ce qui a de la valeur. Tu n'en reviens pas de la facilité avec laquelle vous parvenez à vos fins. Peu après avoir quitté le bourg, vos charrettes remplies d'objets précieux, de tissus et de pièces d'argent, tu aperçois un bastion qui doit regorger d'armes.

— Maintenant, il ne nous reste plus qu'à piller et réduire en cendres cette forteresse ! cries-tu à tes compagnons. Vite repérés, vous êtes accueillis par une pluie de flèches. Une dure bataille s'engage.

Courage, l'ami ! Montre-nous que tu es un brave en 43.

C'est bon à savoir !

Le **butin** que les Vikings amassent, à la suite de leurs raids, est partagé selon le rang et le courage des hommes qui ont combattu.

10 Les cavaliers dévalent le sentier qui mène à la plage. Ils font partie de l'armée des Saxons et sont, hélas, bien plus nombreux que vous.

— Sus aux barbares ! hurle leur chef.

— Par Odin, jamais un Viking ne refuse un combat. Saisis ta chance, mon fils ! crie ton père. Montre ta vaillance en plantant ton fer dans la gorge de nos ennemis !

Une lutte sans merci s'engage. Mais il tourne vite à votre désavantage. Ton père, qui est en train de subir sa première défaite, donne l'ordre de battre en retraite.

Si tu rejoins le bateau, va en 18 .

Si tu préfères essayer de résister le plus longtemps possible, va en 19 .

11

—Tu as la mémoire bien courte, Olaf ! dit Knut. Aurais-tu oublié que toi aussi, tu as autrefois provoqué un accident, lorsque ta charrette a renversé l'un de mes enfants ?

— Réglons ça entre nous par une holmanga, répond Olaf. Sous le regard des dieux, ce combat nous permettra de vider notre cœur de la douleur provoquée par la perte de nos enfants.

La proposition d'Olaf est acceptée par les chefs. Une peau de bête est jetée sur le sol et l'un des **jarls**, chargé d'arbitrer le combat, rappelle les règles : la peau de bête délimite la zone de combat ; si l'un des combattants est tué, la plainte du clan adverse sera annulée et justice sera faite.

Le jarl lève le bras et le combat à l'épée démarre. Les deux adversaires s'affrontent avec une violence inouïe. Soudain, ton père porte un coup d'épée magistral, d'une telle rapidité qu'il laisse toute l'assemblée ébahie. Sauf Olaf qui, la gorge tranchée, s'effondre à tes pieds !

Ouf, te voilà sauvé ! Va vite préparer tes affaires en 34 , *car le départ approche !*

11. Le **jarl**, c'est :
A. le mâle de l'oie.
B. un prêtre aux pouvoirs immenses.
C. un chef militaire.

réponse en 45

12 Les années qui suivent passent à toute allure. Comme Sigufrid, tu t'es pris de passion pour les grandes traversées. Des îles Hébrides, vous rejoignez un jour l'Islande et vous y dénichez de bonnes terres. Sigufrid décide alors de s'y établir et d'y construire sa ferme. Tu lui proposes d'aller au **Labrador** pour lui rapporter du bois.

— Un marin m'a dit qu'aller à Markland, la terre du bois, était un jeu d'enfant. Il suffit de suivre les baleines vers l'ouest. Dans trois jours, j'y serai. Je chargerai le knörr de rondins et serai de retour avant la pleine lune.

Bon vent! File toutes voiles dehors jusqu'en **37** .

réponse en **45**

12. Le **Labrador**, c'est :
A. une région du Canada.
B. un pays rempli de chiens jaunes, noirs et chocolat.
C. une île couverte de rondins de bois.

13 Cochons, poules, tonneaux de bière… tu entasses les victuailles et transportes ton chargement sur la plage où l'on a préparé un grand feu.

Un peu plus tard, une délicieuse odeur de viande grillée flotte au-dessus de vos têtes. Vous vous attaquez aux montagnes de jambons et de poulets rôtis.

— Ça fait du bien de se retrouver, dis-tu à Rorik en te régalant de la carcasse d'une volaille.

— Hélas, Björn, nous allons devoir nous quitter, te répond-il, car Knut n'a pas l'air de vouloir me suivre jusqu'à mon camp fortifié de l'île de Wight.

Si tu essaies de persuader ton père de faire une halte au camp de Rorik, va en 42 !

Si tu préfères ne pas contredire ton père, va en 32 .

14 Soudain, une violente bourrasque te déséquilibre et tu es emporté par-dessus bord.

– Tonnerre de Thor, le petit se noie !

Tu essaies d'attraper la rame que te tend un homme, mais ton vêtement de fourrure, tout imbibé d'eau, t'empêche de faire le moindre mouvement.

Tu luttes quelques instants dans l'eau glacée, mais peu à peu tes forces te quittent.

« Me voilà parti rejoindre Njordhr, le dieu de la mer », murmures-tu en jetant un dernier regard vers le bateau.

Oubliant tout espoir d'être repêché, tu t'enfonces pour toujours dans les eaux noires de l'Atlantique.

Arghhhh ! tu le savais : aussi féroce soit-il, un Viking reste toujours petit face à l'océan déchaîné ! Que cette triste fin ne t'empêche pas de rejouer !

C'est bon à savoir !

Parmi les nombreux dieux vikings, il y a Thor, le dieu de la guerre et du feu, ou **Tyr**, le dieu de la justice. Ils appartiennent à la famille des **Ases** et sont associés au ciel.

15

Torse nu, Erik et toi vous faites face. L'arbitre donne le signal, et la glima, une lutte à mains nues, commence. C'est un vrai combat de fauves ! Erik se rue sur toi, t'attrape par un des liens de cuir destinés à vous empoigner, et vous roulez tous les deux dans la poussière. Les coups pleuvent ; tu arrives pourtant à tenir tête à ton adversaire.

Contrarié, mais encouragé par la plupart des villageois qui ont parié sur sa victoire, il décide alors de faire une entorse au règlement. Il profite d'un moment où vous êtes tous les deux à terre, pour saisir une pierre et te la jeter à la tête. Ce

geste te met dans une rage folle et décuple tes forces. N'écoutant que ta colère, tu le cribles de coups de poing avec une telle violence qu'il doit s'avouer vaincu. L'arbitre lève ton bras et proclame ta victoire.

Il ne te reste plus maintenant qu'à profiter de ta dernière journée au pays.

Si tu participes à la fête du village, va en 34 .

Si tu préfères t'occuper des préparatifs de l'expédition, va en 25 .

16 Rejoindre la côte est une tâche délicate car le vent a forci et de hautes vagues s'abattent sur le bateau. À grands coups de rames, vous essayez tant bien que mal de vous approcher du rivage anglais bordé de récifs.

— Accroche ça au dreki ! hurle un marin en te lançant une lourde lanière de cuir tressée.

— Non, réplique Knut. Mets ton armure ! Nous allons bientôt rencontrer un banc de sable : je veux que Björn saute à l'eau et parte avec quelques hommes en reconnaissance.

Si tu lances la corde pour la passer autour du cou du dreki avant d'obéir à Knut, va en 14 .

Si tu préfères mettre ton armure et sauter à l'eau pour rejoindre la terre, va en 40 .

C'est bon à savoir !

Le mot **drakkar**, créé au 19ᵉ siècle pour désigner les bateaux vikings, vient du mot dreki (au pluriel drekar) qui désigne la tête de dragon sculptée sur la proue.

17

Tu luttes aux côtés de ton père durant tout un jour et toute une nuit. Au petit matin du troisième jour, la mer redevient calme, mais Knut a la mine sombre. Deux hommes ont été emportés et le vent vous a fait dévier de votre trajectoire.

— Le bateau a besoin de réparations ; nous allons accoster sur cette plage, te dit-il en te montrant les hautes falaises qui se détachent à l'horizon. Nous ne devons pas être loin du camp de Rorik, notre cousin. Si mes informations sont bonnes, il a passé l'hiver au sud de l'Angleterre.

Le soleil est haut dans le ciel lorsque vous tirez le bateau sur le sable. À cet instant, tu lèves la tête et aperçois une troupe de cavaliers qui, du haut de la falaise, vous envoient une volée de flèches.

— On remet le bateau à l'eau ! hurle Knut.

Si tu pousses le bateau à l'eau, va en 26 .

Si tu attends que ton père rejoigne lui-même le bateau, va en 10 .

C'est bon à savoir !

Les navires sont tirés à terre sur des **rondins** pour être réparés ou pour contourner des passages difficiles ou des chutes d'eau sur les fleuves.

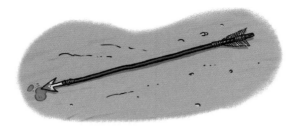

18 Durant le combat, certains de tes compagnons ont poussé le navire à l'eau. Et les survivants, sous une pluie de flèches, plongent, nagent pour le rejoindre. Toi aussi, tu te jettes à l'eau. Peu de temps après, les hommes te hissent à bord. Tu es sauvé !

Mais soudain, tu perçois le sifflement d'une flèche : elle t'atteint en pleine poitrine. Ton armure de cuir n'a, hélas, pas résisté à la puissance du tir. Livide, le visage baigné de sueur, tu plonges petit à petit dans l'inconscience, bercé par la voix de ton père.

— Heureux sois-tu, Björn, tu vogues à bord de ton dernier navire. Ton glorieux combat va te permettre d'entrer dans le royaume des morts, le Walhalla. Un festin t'y attend !

Et c'est en rêvant à ce banquet à la table d'Odin que tu rends ton dernier souffle.

Sois-en sûr, tu seras reçu comme il se doit au paradis des vaillants guerriers ! Pour exprimer ton courage une nouvelle fois, n'hésite pas à rejouer !

C'est bon à savoir !

Au **Walhalla**, le paradis des guerriers, c'est Odin, le dieu de la sagesse, de la magie et de la mort, qui accueille les héros.

19 Soudain, un violent coup sur la tête te fait perdre connaissance. Tu reprends tes esprits dans la geôle d'une forteresse.

— Je suis le fils de Knut le guerrier ! hurles-tu en tambourinant à la porte. Laissez-moi sortir, je veux revoir la mer et mon pays !

Un homme te traîne alors dans la grande salle du fort et t'oblige à t'agenouiller devant le chef.

— Voilà donc un de ces fameux Vikings qui mettent la région à feu et à sang ! Qu'il croupisse dans sa geôle tant que son père n'aura pas payé la rançon que je compte lui demander !

Tiens le coup jusqu'en **33** .

20 Knut te charge d'écoper l'eau durant la traversée. Un travail heureusement moins épuisant que le maniement des lourdes rames. Mais à peine avez-vous quitté le rivage que le vent se lève, suivi d'une pluie glacée. Dans la tempête, on entend à peine la voix forte de ton père :
— Abaissez la voile, couchez le mât, protégez les vivres !

Les ordres fusent, les hommes s'affairent et chacun se bat pour empêcher le navire de sombrer.

— C'est le moment de montrer notre courage aux démons hargneux de Njordhr, le dieu de la mer ! hurle Harald.

Et il entonne un long chant destiné à calmer ses foudres.

Si tu restes près de lui, va en 17 .

Si tu préfères rejoindre le reste de l'équipage qui s'est mis à l'abri sous la voile, va en 14 .

21

Un conseil vient d'avoir lieu entre les jarls et tu veux savoir ce qu'ils ont décidé de faire.

— Les Francs construisent une barricade pour protéger la vallée de la Seine, t'annonce Knut. Nous allons y mettre le feu. Toi, Björn, aide les guerriers à charger l'embarcation d'armes et de boucliers, et poste-toi à la proue.

Tu fais le guet à l'avant du bateau quand soudain tu aperçois la construction en bois et les plates-formes gardées par des soldats installés sur chaque rive. Tu hurles à tes compagnons :

— Lâchez les rames et prenez vos armes !

— Les Normands attaquent ! Tous à vos postes ! crient les sentinelles.

C'est le branle-bas de combat chez les Francs. Les soldats de guet postés dans les tours vous envoient une volée de flèches.

Si tu décides de sauter sur la rive, va en **43**.

Si tu préfères rester sur le bateau, va en **24**.

C'est bon à savoir !

Les guerriers vikings ont une hache, un javelot, une épée, un poignard comme **armes**. Ils sont protégés par un bouclier en bois parfois cerclé de métal.

22

Peu de temps après, tu salues le roi dans la grande salle de sa forteresse. Il t'examine silencieusement puis te dit :

— Les Vikings sont une véritable plaie pour mon peuple. Et j'ai besoin d'un fin négociateur pour organiser leur départ. Wulf a entendu parler de ton habileté en affaires et il pense que tu pourrais mener à bien cette mission. Aide-moi et tu seras riche.

Après de longues discussions, tu acceptes de l'aider. Le roi Eudes offre aux Vikings un lourd tribut en or s'ils lèvent le siège de Paris et quittent le royaume. Grâce à toi, les Vikings acceptent sa proposition en échange d'une trêve de trois mois. Tu reçois alors le cadeau royal promis : un territoire deux fois grand comme la région qui t'a vu naître !

Tu y mèneras une vie de grand seigneur et les Vikings, qui réapparaîtront de temps en temps sur les terres franques, ne pilleront bien sûr jamais les tiennes !

Quelle ascension ! Tu es devenu un puissant seigneur en territoire franc ! En récompense de ce beau succès, tu reçois 20 points. Coche la case rouge en **47** *. Et si tu rejouais ?*

C'est bon à savoir !

En 911, après avoir signé un traité avec le roi des Francs, Charles III, le chef viking **Rollon** reçoit la future Normandie et épouse la sœur du roi.

23 Jamais tu n'aurais imaginé vivre des journées aussi difficiles en pénétrant dans les territoires russes. Dès le soir de la première halte sur les rives du fleuve, vous subissez l'attaque de bandits. Sous les yeux terrifiés des marchands, tu te bats férocement pour défendre la cargaison de fourrures et d'ivoire de morse.

Une semaine plus tard, des rapides vous obligent à hisser vos bateaux sur terre et à les faire rouler sur des rondins. C'est alors que des Varègues vous attaquent pour vous rançonner. Tandis que tu leur lances une bourse de pièces d'argent pour qu'ils vous laissent passer, un des brigands t'apostrophe :

— Hé là, toi, n'es-tu pas né près d'Hedeby ?

Tu reconnais alors quelqu'un de ton village, **banni** comme toi, il y a de ça fort longtemps.

— Viens avec nous, te dit-il, les Varègues sont puissants et vont bientôt devenir les maîtres du pays.

Si tu te laisses tenter par sa proposition, va en **8**.

Sinon, reprends la route pour Constantinople en **6**.

réponse en **45**

23. Un Viking **banni**, c'est un Viking :
A. avec un tatouage de banc de sardines sur l'épaule.
B. qui a été condamné à quitter son pays.
C. qui est sous la protection de Baldur, le dieu de la lumière et de la joie.

24

La lutte est acharnée : pierres, flèches, projectiles de toutes sortes pleuvent sur vos casques. Pendant que les hommes de Knut encerclent les plates-formes, toi et quelques compagnons attaquez à grands coups de hache les madriers qui soutiennent la barricade de bois. Soudain, une clameur victorieuse retentit. Le barrage est en train de s'effondrer ! Après avoir mis le feu aux remparts, vous regagnez le bateau à la nage, en regardant les flammes se propager jusqu'en haut des tours franques.

— Et maintenant, direction Paris ! hurles-tu.

Si tu convaincs Knut de gagner Paris au plus vite, va en **41**.

Si tu lui suggères de faire une escale sur une île pour partir avec l'ensemble de la flotte des attaquants, va en **36**.

25 En te dirigeant vers la forge, tu tombes sur les fils d'un voisin. Eux aussi sont jaloux de te voir partir à l'aventure. Ils t'interpellent avec un sourire narquois…

— Alors, il paraît que notre Björn aux beaux cheveux a décidé de marcher sur les traces de son père ! s'exclame l'un d'eux en te donnant un coup d'épaule.

— Et comment penses-tu régler leur compte à tes ennemis, avec ta carrure de gringalet ! s'esclaffe l'autre.

Piqué au vif, tu te jettes sur eux, l'arme à la main, bien décidé à leur donner une leçon. Mais ils prennent la fuite. Tu les pourchasses jusqu'au bord de la falaise, et soudain, c'est l'accident : le plus jeune se prend les pieds dans une racine et fait une chute mortelle.

Si tu décides de fuir, va en **29** *.*

Si tu préfères annoncer la nouvelle au chef du village, va en **39** *.*

26 De vigoureux coups de rames vous mettent vite hors de portée de vos ennemis. Soudain, Knut te fait signe de regarder droit devant. Dans une large baie, une quinzaine de bateaux vikings sont à l'arrêt.

— Regarde, Björn, c'est la flotte de Rorik ! dit-il. Ils doivent être en train de piller les villages des environs. Allons leur prêter main-forte. Peu de temps après, la quille du bateau racle le sable. Vous le tirez sur la plage. Les vieux marins de Rorik, chargés de garder les navires, vous donnent un coup de main tout en vous expliquant rapidement la situation : une dizaine d'hommes sont partis piller le monastère, tandis que les autres fouillent les maisons du village.

Si tu décides de rejoindre le monastère, va en **7** .

Si tu préfères aller au village, va en **40** .

C'est bon à savoir !

À la différence du knörr, large bateau destiné au pillage et au transport de marchandises, le **snekka** est un bateau de guerre long, étroit et rapide.

27 — Rien ne vous arrêtera si vous apprenez la discipline ! hurle le terrifiant berserker, vêtu de peaux d'ours, qui vous enseigne l'art du combat.

Il t'envoie avec d'autres jeunes guerriers vikings prendre d'assaut une haute palissade de rondins spécialement conçue pour l'entraînement des jeunes recrues. Mais, au moment où tu atteins le sommet du rempart et tends ta hache en signe de victoire, tu perds l'équilibre… et tu atterris quinze pieds plus bas.

— Foudre d'Odin, quel incapable ! hurle le **berserker** en s'apercevant que tu n'as pas mis ton casque de cuir ni ton épaisse veste de protection.

Gravement blessé à la tête, tu ne pourras plus jamais combattre.

Pas de doute, c'est le manque d'expérience qui t'a fait chuter !
Une seule réponse possible à cette erreur de jeunesse : rejoue !

Quiz !

réponse en **45**

27. Un **berserker**, c'est :

A. un géant monstrueux au cœur pur.
B. un redoutable guerrier réputé invincible.
C. un policier viking à cheval sur le règlement.

28

Le jour est à peine levé, un vent glacial souffle sur les landes et tu cours, torse nu, le long de la falaise pour échauffer tes muscles et te préparer au combat. La ruse et la rapidité sont les deux atouts que tu comptes exploiter, car Erik est un des meilleurs lutteurs du coin. Tu le retrouves quelque temps plus tard sur le terre-plein où tout le village s'est rassemblé.

— Nous allons voir si ta bravoure et ton ardeur au combat sont suffisantes pour participer à l'expédition que prépare notre père ! te défie ton frère.

Avant d'assister à la lutte, les hommes écoutent le **scalde**. Il conte les exploits des jarls, les glorieux chefs vikings.

— Fils, te murmure un ancien lutteur, Erik ne sait pas contrôler ses colères. Provoque-le et tu gagneras le combat.

Si tu suis ses conseils, va en ③ .

Si tu préfères ne te fier qu'à toi-même, va en ⑮ .

28. Un **scalde**, c'est :

    A. un poète et un musicien.

    B. un dieu viking de la communication.

    C. un journal écrit en alphabet viking, le runique.

réponse en ㊺

29 « Jamais je n'aurais pensé quitter ainsi ma terre natale »,
te dis-tu en marchant sous la pluie glacée pour rejoindre
Hedeby, le plus grand port de Scandinavie.

Le voyage est long et difficile et, durant deux jours, tu suis
les sentiers à travers les landes au pas de course pour essayer
de te réchauffer. Les nuits sont plus froides encore, et au
matin de ton troisième jour de marche, tu es heureux de voir
enfin apparaître le port. La chance est au rendez-vous car,
dès ton arrivée, tu aperçois un grand **knörr**. Des hommes
sont en train de charger des fourrures et de l'ambre.

— Par ici, petit ! te crie l'un d'eux. Viens nous aider.

Grâce à ton efficacité, le knörr est rapidement chargé. Tu
partages ensuite le repas des marins en leur racontant tes
mésaventures.

— Me voilà interdit de séjour dans mon village pendant un
bon moment. Il ne me reste plus qu'à combattre et à mourir
loin d'ici…

Si tu essaies de les convaincre de te prendre à leur bord, va en 4.

Si tu préfères continuer ta route de ton côté, va en 35.

Quiz !

réponse en 45

29. Un **knörr**, c'est :

A. un large navire marchand servant aussi au pillage

B. un chaudron rempli de soupe épicée.

C. un monstre marin utilisé pour les déplacements
rapides.

30

— Hé ! toi, crie l'un des soldats, ne t'enfuis pas. Notre roi Eudes veut te parler.

Tu es tellement surpris d'entendre un Franc utiliser ta langue que tu t'arrêtes et te retournes vers lui.

— N'aie pas peur, je m'appelle Wulf et je suis du même pays que toi.

— Et que fabriques-tu avec les Francs ?

— J'ai été fait prisonnier. Pendant ma captivité, j'ai appris leur langue. Puis, je me suis fait baptiser en échange de ma liberté. Me voilà donc chrétien, Viking et, depuis peu, interprète d'un grand chef franc.

Tu le suis jusqu'au campement franc.

Montre-toi digne de ton peuple en 22 .

31

Quelque temps plus tard, vous atteignez l'embouchure d'un des plus larges fleuves de la Russie, la Neva. Il y a beaucoup d'animation sur les rives car de nombreux commerçants festoient avant de remonter le fleuve.

— Reprenez les rames et avançons jusqu'au lac Ladoga, vous ordonne Sigufrid. Nous y vendrons notre cargaison avant tous ceux-là.

Les commerçants de la cité située au bord du lac vous accueillent à bras ouverts. Les fourrures, le miel, les armes

que tu alignes sur les grands carrés de drap sont vite échangés contre des bijoux, de l'argent, des pièces de soie. Sigufrid n'en revient pas de te voir négocier aussi habilement.

— Je crois, mes amis, que ce jeune Viking va devenir un fameux marchand ! dit-il en te présentant à un groupe de négociants venus des confins de l'Asie.

Suis tes nouveaux compagnons dans les quartiers animés de la ville, en 5 *.*

32

Le lendemain, tu reprends la mer à bord du bateau du clan. La traversée se passe sans encombre et trois jours plus tard, vous arrivez en baie de Seine.

— Une bonne partie de notre clan a passé l'hiver sur une île de la Seine. Ils nous attendent pour attaquer Paris ! te dit Knut. Ce sera pour nous une vraie promenade de santé !

À peine débarqués, vous êtes accueillis dans l'immense campement que plusieurs expéditions ont déjà rejoint.

— Que cette terre est belle ! t'écries-tu.

— Et bonne à piller, répond l'un des guerriers du camp. Dès demain, nous rentrons dans les terres pour un **strandhögö**. Si tu es bon cavalier, viens nous aider.

Si tu acceptes, va en **9**.

Si tu préfères rester au camp, va en **21**.

Quiz !

réponse en **45**

32. Un **strandhögö**, c'est :

A. un spectacle équestre avec des cavaliers tout nus.

B. un tournoi où plusieurs cavaliers s'affrontent.

C. un pillage.

33

Cela fait déjà deux jours que tu es emprisonné dans la forteresse. Au matin du troisième jour, tu es réveillé par la cloche de l'église. On sonne le tocsin.

— Les hommes du Nord nous attaquent ! hurlent les soldats de guet.

— À l'aide, venez me libérer, je suis là ! cries-tu en tambourinant à la porte de ta prison.

Malheureusement, c'est le chef de la place-forte qui ouvre la porte. Le visage rouge de colère, il te prend par le col et te fait sortir dans la cour.

— Bande de brigands, hurle-t-il aux Vikings, déposez vos armes, sinon je jette mon prisonnier dans le puits !

Knut, ton père, se tient face à toi ! Il hésite : doit-il poursuivre son attaque, au risque de sacrifier son fils ? Profitant de cet instant de confusion, toi, l'adepte de la **glima**, tu saisis ton geôlier par la ceinture et le fais mordre la poussière. Aussitôt les guerriers vikings l'empêchent de réagir et se ruent à l'assaut de la forteresse, détruisant tout sur leur passage. Knut, lui, s'est rapproché de toi. « Björn, te dit-il en te regardant droit dans les yeux, je suis fier de toi : tu as l'étoffe d'un chef ! »

Tu ne pouvais entendre plus beau compliment de la bouche de ton père ! Coche la case violette en 47 pour gagner 20 points et relance-toi dans l'aventure !

Quiz !

réponse en 45

33. La **glima**, c'est :

A. une boisson énergisante à base d'algue gluante.

B. une danse acrobatique.

C. une lutte à mains nues.

34 La journée passe vite. Tu t'amuses quelque temps à la fête puis tu retournes à la ferme où, aidé par ta mère, tu ranges tes affaires dans ton coffre. Elle t'accompagne ensuite jusqu'au petit sentier qui descend au rivage. Tu le dévales et, tout essoufflé, rejoins la quarantaine de guerriers qui s'affairent sur Grand Dragon d'écume, le bateau de ton père. La plupart des marins sont déjà à bord et ont accroché leurs boucliers le long du bordage. Deux grands gaillards sont perchés en haut du mât et effectuent les dernières réparations sur la large voile carrée qui claque au vent. Harald, un vigoureux guerrier aux cheveux roux qui fait partie de ton **clan**, t'interpelle :
— En voilà un qui a l'air tout heureux de quitter son pays !
— Les dangers ne me font pas peur. Sus aux Francs ! cries-tu, en levant ton coffre au-dessus de ta tête.

Si tu poses ton coffre à côté de celui d'Harald, va en 38.

Si tu préfères attendre que ton père te désigne ta place, va en 20.

Quiz !

réponse en 45

34. Un **clan**, c'est :
- **A.** le nom du joueur de cornemuse.
- **B.** un ensemble de plusieurs familles ayant un ancêtre commun.
- **C.** une bande de terribles voyous.

35

Tu quittes le port et aperçois une petite barque sur une plage. Tu la mets à l'eau, sautes dedans et commences à ramer. Une douce brise pousse ton embarcation vers le large et tu te rapproches d'un knörr. Le bateau lourdement chargé transporte des hommes, des femmes, des enfants. Ils ont quitté leurs fermes pour s'établir dans de nouveaux pays, certains en Islande, d'autres aux îles Hébrides.

– Attendez-moi ! hurles-tu en ramant de toutes tes forces. Un des marins a pitié de toi et alerte le capitaine pendant que tu luttes contre une bourrasque qui vient de se lever. Une énorme vague rabat ta fragile embarcation vers la côte, puis la rapproche avec violence du navire marchand.

Attrape donc la rame que l'on te tend et va en **14**.

36 Trois jours plus tard, une flotte de sept cents navires approche des portes de Paris.

— Sois fier de participer à la plus vaste offensive jamais organisée, te dit Knut en te voyant prêt à l'attaque.

— Nous allons bientôt faire le plus beau coup qu'aucun Viking ait jamais rêvé de réussir ! lui réponds-tu en enfonçant ton casque sur ta tête.

Mais Knut s'assombrit car il vient de voir se dresser sur la Seine un pont fortifié.

– Les Normands débarquent! hurle la foule qui se presse derrière les remparts. Il y en a partout!

L'assaut est lancé. Les Parisiens opposent à leurs agresseurs une résistance acharnée. Les flèches et les lances volent de toutes parts et nombre de vos compagnons sont tués.

– Fais chanter ton arme et les scaldes te rendront célèbre! te dit Knut.

Mets pied à terre et cours avec la troupe massacrer les Francs en 43 .

37 Le voyage est loin d'être une partie de plaisir. Tu essuies de terribles tempêtes de neige et tu ne peux que laisser dériver ton bateau. Enfin, au petit matin du cinquième jour, le mauvais temps cède la place à un soleil éclatant. Tu clignes des yeux, scrutes l'horizon : une terre inconnue aux paysages étourdissants de beauté se dresse face à toi. Ses prés vert vif contrastent avec le bleu des icebergs qui flottent près des côtes. L'endroit regorge d'animaux.

« Toute cette splendeur, toutes ces richesses me remplissent d'allégresse ! » murmures-tu en mettant pied à terre. Tu grimpes sur une colline, embrasses le paysage du regard et comprends alors que c'est le destin qui t'a conduit ici. Tu ne quitteras plus le pays et y vivras tranquillement de la chasse et de l'élevage de rennes jusqu'à la fin de tes jours.

Quel merveilleux explorateur tu es ! Coche la case bleue en **47** *et rejoue pour repousser les limites du vaste monde !*

C'est bon à savoir !

Opposés aux Ases, les **Vanes** sont les dieux vikings associés à la terre. Il y a parmi eux Freyja, la déesse de l'amour et de la fécondité, ou Mimihr, le dieu de la connaissance et des choses.

38

—Tiens le gamin à l'œil, Harald, et veille à ce qu'il souque ferme, dit Knut en montant à bord.

Assis sur ton coffre, tu ne fais pas le fier car la rame est lourde à manier et Harald ne te laisse pas le temps de souffler. Heureusement, dès le deuxième jour, un bon vent arrière se lève et tu n'as plus besoin de ramer. Durant quatre jours, Grand Dragon d'écume, la voile gonflée, file comme une flèche. Ton père manœuvre le gouvernail et l'équipage scrute l'horizon. Au matin du cinquième jour de navigation, tu entends l'un des marins hurler :

—Village franc en vue ! Préparez vos armes, abattez la voile !

Allez, montre-nous tes talents de marin en **16** *.*

C'est bon à savoir !

Les **rameurs**, assis sur un coffre qui contient leurs affaires personnelles, font avancer le knörr quand le temps ne permet pas de hisser sa grande voile rectangulaire.

39 L'affaire fait grand bruit et les chefs, réunis en conseil en ce matin de fête, choisissent de te faire immédiatement comparaître. Un grand son de trompe retentit. Olaf, le plaignant, expose les faits.

— J'accuse Björn aux beaux cheveux, fils de Knut à la barbe fourchue, d'avoir tué mon fils ! hurle-t-il. Je réclame justice !

Après que tous ceux qui le désirent ont été entendus, le chef de l'assemblée annonce le verdict :

— Björn n'a pas su contrôler sa colère, il est coupable ! Et comme vous le savez, notre loi condamne tout homme qui provoque la mort. Il doit quitter le pays ou dédommager la famille de la victime en lui donnant la moitié de ses terres. Que choisis-tu ? te demande-t-il.

Si tu choisis de quitter ton pays, va en 29 .

Si tu préfères laisser ton père décider, va en 11 !

40

Quelques instants plus tard, bien armé, tu pars en reconnaissance avec tes compagnons vers le village. Pendant ce temps, un guetteur a donné l'alerte et, lorsque vous arrivez, les villageois vous font face, armés d'arcs, de pierres et de gourdins.

— C'est la troisième attaque que nous subissons ! crie l'un d'eux. Ces barbares du Nord ont massacré nos enfants, volé notre bétail, emmené nos femmes pour les vendre comme esclaves. Sus à l'ennemi viking !

Les paysans en furie se jettent alors sur vous. Tu pourfends tous ceux qui sont à ta portée à grands coups d'épée, mais les hommes sont nombreux et bien décidés à vendre chèrement leur peau...

Si, surpris par cette résistance, tu décides de fuir, va en 18.
Si tu préfères continuer à combattre, va en 19.

C'est bon à savoir !

Pour conjurer le mauvais sort, les guerriers gravent parfois sur leur épée des **runes**, les lettres de l'alphabet utilisé par les Vikings.

41

La défense est efficace et chaque vague d'assaut vous fait subir de lourdes pertes.

— Puisque nous ne réussissons pas à faire céder les portes de la ville, nous allons faire crever de faim les Parisiens! tonne Knut. Et il donne l'ordre d'installer le campement sur la rive de la Seine.

Le siège dure des mois. Lassé par cette résistance, tu pars de plus en plus souvent piller les alentours à bord du Grand Dragon d'écume.

— Lâchez les rames et échouez le bateau! Deux d'entre vous le garderont pendant que j'irai, avec le reste des hommes, voir ce qu'il y a de bon à prendre dans ce monastère. Mais vous avez été repérés par des soldats. Aussitôt, ils vous attaquent.

Si tu participes au combat, va en 18 .

Si tu préfères t'enfuir, va en 30 .

42   — Il paraît qu'on mène la belle vie dans le campement de Rorik, à l'île de Wight… Si on y faisait une escale ? proposes-tu à ton père.

— J'ai une autre idée, te dit-il. Tu vas aller là-bas seul. Les anciens guerriers t'apprendront à bien te battre pendant que j'irai en reconnaissance en pays franc.

La vie de garnison que tu découvres quelques jours plus tard te fait regretter ton choix… Finie la liberté. On te fait suivre un entraînement guerrier épuisant tout au long de la journée.

Allez, courage, épate-nous en devenant le meilleur des guerriers en **27**.

43

— Ces hommes sont encore plus barbares que nous !
hurles-tu en voyant des gardes verser du haut des
palissades des liquides bouillants sur tes compagnons.
Pour riposter, tu enflammes un chariot de foin et le lances
contre la porte. Le panneau prend feu. Tu l'enfonces à grands
coups de hache. Rapidement, tu montes les marches menant
au sommet d'une tour et t'élances vers les soldats qui font
pleuvoir des flèches sur tes compagnons. Mais, seul face à
une dizaine d'hommes, tu ne peux tenir très longtemps.
— Piétinez-moi ce sauvage, hurle leur chef, et que l'on
m'apporte ensuite son cœur sur un plateau d'argent !
— Vous pouvez m'ôter la vie mais pas la liberté ! cries-tu en
sautant dans le vide.
Plus tard, on rapporte ton corps sans vie à ton père…
— Sois sûr qu'un scalde glorifiera le courage de ton fils, lui
dit-on, alors qu'il étouffe un sanglot.

Tu t'es battu comme un chef :
tu peux être certain que
les Walkyries vont te conduire
au paradis des héros ! Allez,
la partie n'est pas finie :
rejoue !

C'est bon à savoir !

Les **Walkyries** sont des jeunes guerrières,
messagères des dieux. Elles conduisent les hommes
morts au combat au paradis des guerriers, le Walhalla.

Quel héros es-tu?

44 Vrai! Faux!

Complète ton score! Si tu as été futé(e), tu dois connaître la vérité!
Ne dit-on pas qu'elle est toujours... bonne à savoir?

1 Ce sont les Vachkyries qui conduisent au paradis
les guerriers morts au combat. . . . . .Vrai / Faux

2 Les deux familles de dieux Vikings sont les Nases et les As. . . . .Vrai / Faux

3 Tyr est le dieu de la justice. . . . . .Vrai / Faux

4 Le mot *dreki* utilisé par les navigateurs vikings
signifie « à droite! ». . . . . .Vrai / Faux

5 La grande voile du knörr est rectangulaire. . . . . .Vrai / Faux

6 Le Wasabi est le paradis des vaillants guerriers vikings. . . . . . . .Vrai / Faux

7 Le duc de Normandie et roi d'Angleterre Guillaume
le Conquérant est le descendant du Viking Rocourt. . . . . .Vrai / Faux

8 Un « coursier du vent » est un bateau dans les récits vikings. . . .Vrai / Faux

9 Les guerriers vikings avaient des javelots. . . . . .Vrai / Faux

10 À la suite de leurs pillages, les Vikings amassent un lutin. . . . . .Vrai / Faux

45 Quiz ! ▷ Les bonnes réponses !

3	Réponse B	12	Réponse A	29	Réponse A
7	Réponse B	23	Réponse B	32	Réponse C
8	Réponse B	27	Réponse B	33	Réponse C
11	Réponse C	28	Réponse A	34	Réponse B

Pour chaque bonne réponse, coche une case verte (5 points) dans le tableau ci-contre.

46 Vrai ! Faux ! Les bonnes réponses !

1 Faux ! Ce sont les Walkyries.

2 Faux ! Ce sont les Vanes et les Ases.

3 Vrai !

4 Faux ! Il désigne la tête de dragon sculptée sur la proue du knörr.

5 Vrai !

6 Faux ! C'est le Walhalla.

7 Faux ! C'est le descendant de Rollon.

8 Vrai !

9 Vrai !

10 Faux ! Ils amassent un butin.

Pour chaque bonne réponse, coche une case orange (10 points) dans le tableau ci-contre.

TU es le HÉROS !

Combien de points as-tu ?

| 5 | 5 | 5 | 5 | 5 | 5 | 5 | 5 | 5 | 5 | 5 | 5 |

| 10 | 10 | 10 | 10 | 10 |
| 10 | 10 | 10 | 10 | 10 |

| 20 | 20 |
| 20 | 20 |

Additionne tous les points des cases cochées pour obtenir ton score puis va en 48 pour découvrir ton grade de Viking !

TU es le HÉROS !

Quel Viking es-tu ?

240 points

Tu as plus de 160 points ?

Viking de Légende

Tu es le plus grand des explorateurs, le plus vaillant des guerriers, le plus habile des marchands... Bravo ! te voilà devenu un modèle vivant pour tous les Vikings ! Le scalde est prêt à chanter ta légende !

Tu as entre 80 et 160 points ?

Vaillant Viking

La bravoure est ton guide ! Face à une mer déchaînée ou dans le feu du combat, la peur t'est inconnue. Poursuis tes efforts : les dieux, sensibles à ta détermination, t'ouvriront le chemin de la gloire !

Tu as moins de 80 points ?

Viking Ardent

Tu ne manques ni d'énergie, ni de force ! Le courage coule dans tes veines... mais tes choix ne sont pas toujours les meilleurs. Continue à t'entraîner, écoute tes aînés... et tu deviendras un Viking respecté !

0 point

Tu t'es bien battu(e), mais as-tu fait tous les bons choix ?
Rejoue jusqu'à obtenir le meilleur score !

TU es le HEROS !